삶의 자연을 그리다

임 전 택 시 집

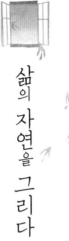

삶의
자연을
그리다

책과나무

내가 나고 자란 곳은 충남 천안시 서북구 입장면 도림
2리본래의 동네 이름은 샛터로 아주 전형적인 시골 농촌의 전경을
간직한 동네이다. 그런 덕분에 어린 시절, 계절에 따라 자
연스레 변화하는 전원적인 풍경 속에서 뛰놀며 커 왔다.

그곳에서 초중학교를 마치고, 천안시 소재의 '천안중앙
고'를 졸업하고 난 후, 당시 전자과를 지원하면 무조건 취
직이 잘된다는 소리에 전자공학도의 길을 택했다. 그런데
나는 스스로 '전자과'를 '전자문학과'라 칭했고, 시집 읽는
것을 즐겨했으며, 무언가 끄적거리는 것을 좋아했다. 아마
도 고등학교 때 도서위원을 했던 것이 영향을 준 듯하다.
그래서 매일은 아니지만 고등학교 1학년 때부터 일기를 쓰
기 시작하여 결혼 전까지 틈나는 대로 써 왔었다.

대학 1, 2학년 시절엔 한때, 김소월, 이육사, 윤동주,
한용훈, 조지훈, 이상화 등 우리나라 대표 시인들의 시에
빠져 살기도 했었다. 35년이 넘은 30여 권의 당시 문고판
시집이 아직도 남아 있다. 그리고 입사하여 결혼 한 후 삶

에 쫓겨 앞만 보고 달리다가 한 9년 전부터 블로그를 하며 짧게나마 글을 다시 적기 시작했다. 시간 날 때마다 일기 형식이든 시 형식이든 내 삶의 이야기를 SNS에 남겨 왔고, 그런 글들을 모아 이렇게 감히 책으로 엮은 것이다. 나는 사람은 물론이고 세상 모든 것은 자연을 닮은 시라고 생각하는 사람 중의 한명이다.

2017년 9월 가을 초입에

• 목차 •

삶의 자연을 그리다 1

사람의 삶도 자연의 한 부분인 것을
마음의 평화가 행복의 근원인 것을
타인의 존재로 내가 있다는 것을
흐르는 세월이 스승 되어
철부지 나를 가르친다

설렘

이것은 꿈을 기다리게 하는 씨앗이자
다가올 행복의 전령입니다
무엇에 아리고 저려진 마음을 치유할 수 있는
묘약이기도 합니다
많을수록 얼굴엔 미소가 넘치고
품을수록 가슴이 두근대며
나눌수록 우리 삶이 활기에 넘칩니다
그래서 사람들은 말합니다
젊음과 늙음의 차이는
기쁨이 살고 슬픔을 떼는 일은
심지어, 희망과 절망의 순간도
그것이 '있고 없고'에 달려 있다고

꽃 1

지아름답기만 한 미소로
영원한 이름으로
시들지 않는 의미와
지지 않는 추억, 그리고
묻히지 않을 인연으로, 사랑으로
이 가슴에 아로새겨 달라지만
준비 안 된 기쁨으로
네 앞에 설 수밖에 없는 나는
또, 눈물꽃만 피우고 만다

욕먹을 짓에 대하여

배고픈 충견 한 마리가
주인이 마당에 널어놓은 물명태를
주인 눈치 힐끗대다 몰래 먹는다고
그게 작대기로 맞을 일인가

어물전 지키는 착한 고양이가
진열대에 즐비한 맛난 생선을
애초부터 주인 몰래 안 훔쳐 먹었을 수 있었겠는가

쇠똥구리가 쇠똥을 굴릴 때
바보처럼 왜 바로 서서 굴리지 않느냐고 비웃고
맨손으로 만든 눈사람을 양지바른 담 밑에서 부둥켜안고
낮잠 한숨 잔다 하여 뭐라 하고
하고파 행한 일이 맘에 거슬림 없었고
남에게 물적 정신적 피해를 안 주었다면
설사 어떤 이유로 지탄을 받는다 해도
이 모든 것들이 누가 욕할 일인가
또, 이 모든 것들로 누가 욕먹을 일인가

봄바람이 남쪽에서 깔깔거리며 불어오고
겨울 나그네는 침묵하며 북쪽으로 떠나는 것
그 사이를 틈타 꽃샘바람에
철없는 진달래 봉우리가 떨며 날 기다리는 것
너는 내가 진정 싫어도
나는 네가 정녕 좋아 잡으려 쫓아다니는 것
또, 너에 내가 묶여 나는 네 것이고 마는 것
결국 나는 나인데 나이고픈 나를 짓누르며 웃고
또 다른 나는 내가 아니고 싶은 나를 축복하며 우는 것
이 모든 것들을 내가 욕할 일인가
이 모든 것들로 내가 욕먹을 일인가

어떤 조각상의 고백

날 너무 오래 쳐다보지 마
지독한 전염병 옮을지도 몰라

_삶의 자연을 그리다

비 맞는 꽃 1

널 만날 때면, 나는 진정
우산을 쓸 수 없어

널 가까이 보면 볼수록
내 정녕 내가 미워져

네 볼에 흘러내린 눈물
차마 나는 닦아 주지 못해

널 이 빗속에 두고는
나는 영영 떠날 수 없어

꽃비 1

빨간 우산 속 그대는
눈물꽃 피우며
꽃비 속으로 떠났다

빗물 속 아픈 꽃 이파리
나는 맨몸으로 무릎 꿇고
눈물꽃 심으며 울었다

삼 일 밤낮을 흠뻑 젖어야
그 기쁨을 알 수 있다는
그 꽃비가 내릴 때

너만 보면

나는 할 말을 잃어
늘 보고픈 맘이지만
아픈 맘만 안고 기뻐해야 해
한마디 말조차 건네기엔
미안한 맘 하얀 뭉게구름

하냥 웃는 목단처럼
먼 그리움으로 그리고 말아
아쉬운 하늘은
또, 짙푸르러 가는데
키 작은 코스모스는
미리 알고 미소 짓는데

어찌하오리까 3
_ 미치광이

어렸을 적엔
하얀 네 발로 시궁창의 장난감을 좇고
한창 꿈을 피울 땐
사지가 흐느적거리기까지 삶의 멍에를 걸머지곤
어느 때든 허우적, 허우적…
못다 이룬 나를 위해 이제는 미치광이
허연 백발이 흐릿한 눈알을 마저 찔러도
반 구부러진 단장이 포도鋪道 위를 떠돌아도
어찌하랴
못다 이룬 나를 부르는 미치광이 웃음을
검은 주검마저도 펄펄 뛰며 미치광이가 된 것을
미치광이야, 어쩌란 말이냐!

너 그리고 나 1

어린 시절

너는 단발머리에 빨간 치마 둘렀다

나는 까까머리에 때 묻은 하늘색 반바지

뒷동산 클로버 꽃밭에서

나는 네게 꽃잎으로 족두리 해 얹어 주었다

그럴 때면

너는 내게 동그란 반지 틀어 내 새끼손가락에 감았다

푸르른 클로버 밭은

그럴 때면 우리들의 풋풋한 방이 되었다

두리둥실 흰 구름을 두 손 마주 잡아 가리키고

우리 둘은 저 구름 한 쌍이 되자 했지

우리들은 뒹굴었다

네 머리칼에 묻은 클로버를 떼어 주었다

나의 볼에 묻은 푸른 풀물을 네 하얀 손으로 닦아 주었다

너는 단발머리에 빨간 치마 둘렀고

나는 까까머리에 때 묻은 하늘색 반바지

내가 가장 아름다운 순간

야무진 꿀벌 한 마리
양 뒷다리에 콩알만 한 꿀 매달고
꽃에서 너끈히 날아오를 때처럼

암팡진 개미 한 마리
쌀 한 톨 입에 물고
자갈돌 거뜬히 올라섰을 때같이

또, 앙칼진 담쟁이 넝쿨 하나
한 뼘 한 뼘 돌담 위에 다다라
땀 젖은 손바닥 정겹게 흔들 듯이

한 줌 심장 안 터지고 버틸 만큼
해야만 할 것에 정성 다 쏟았다면
그래서 내 정녕 행복했다면

사랑, 돈, 명예, 그리고
설사 그것이 이별보다 더한
너의 죽음일지라도

_삶의 자연을 그리다

후회 後悔

다 지우기 힘에 부쳐 지쳤고
다 가져가기도 턱없었으며
이제는 그것을
기억하는 것조차 사치스럽다

그곳에는
지나치는 그 하찮은 눈길조차
줄 사람이 아무도 없었다
심지어 나의 전부인 너마저도!

그런 연유로
남길 수밖에 없다는 것을
바닷가 모래 위 필연의 발자국처럼
이제 겨우 알 듯 말 듯

그러면서 기다린다
"안 돼!"란 그 짧은 마지막 비명마저
입 밖에 내뱉지도 못한 채
파도에 흔적도 없이 사라질 그때를

맛 1

볼수록 없어지고
알수록 싫어도 지지요
잘날 때만 달라붙고
못날 때는 도망도 가지요

이럴 땐, 저 사람한테
저럴 땐, 이 사람한테
있어도 없다 하며
없어도 있다 하지요

그렇지만
난, 그대에게만은
꼭, 맛깔지고파요
맛매 넘쳐 보이는 그댄
새콤달콤한가요?
정녕 내 맛인가요?

마라도 馬羅島

파란 바다를 홀로 바람처럼 마주 선다
방향 잃은 태양을 울며 우러른다
알 수 없는 근원에서 내동댕이쳐졌다
누구나 그러하듯 삶의 의문은 화산 파편같이 많다
지금 할망당에도 처녀 해녀의 혼은 검은색 꿈꾼다
물질이래야 고동 하나에 톳 한 옴큼이면 족했다
그래도 찬 물살과 모진 비바람 품고 다독였다
내 맘 잔잔해야만 돛 단 연락선은 겨우 얼굴 내민다
아니면, 늘 그랬던 것처럼
이 하늘과 저 바다는 아무에게나 손을 내밀 것이다
나는 여기서 마지막 등대 불이 꺼지길 기다린다
차라리, 이 섬 가라앉아 다시 용암으로 솟구치기를
어느 남쪽 끝 춥지 않을 겨울에 붉은 해당화 영등의 꿈을

인연 5

빗방울이나 이슬방울이나
아침 햇살에는 다 반짝이겠지
그렇지만 긴장한 꽃잎 끝에서
내가 한참을 몸이 단 후
땅에 떨어져 땅속으로 퍼져야
그게 참 이슬이겠지
그게 모두에게 기쁨이겠지

_ 삶의 자연을 그리다

낚시

꼴 같은 세상, 누구누구는 세월이라도 낚는다는데
잘난 것한테 낚였다는데, 낚싯대라도 그럴싸한데
자리라도, 기가 차다는데

떡밥이 그리 중요하다니, 때 묻은 돈다발 밑밥으로 풀지
까맣게 탄 세월 썰어서 쓰지, 하나뿐인 인생 통째로 매달지
썩을 육신 바늘에 꿰지, 허나

내가 네게 낚일 수 있을까, 내가 너를 낚을 수 있을까
너는 낚지도 낚이지도 않아, 나는 낚지도 낚이지도 못해
사람 낚시는 진정 못해

첫눈 오던 날

첫발도 딛기 전, 첫사랑 그 소녀를 떠나보내고
그날 첫 밤, 첫눈이 내리기 시작했다
며칠간 함박눈은 쏟아졌고, 소년은 집 앞에서 그곳까지 가
는 길의
수북한 눈만 몇 날을 쓸고 또 치웠다
마지막 그날 밤부터 소년은
알 수 없는 불같은 열병을 한 이레 동안 앓았다, 그리고
첫봄 첫비 오는 날에도
첫여름 첫비 오는 날에도
첫가을 첫비 오는 날에도
그 동산에서 빨간 우산을 같이 쓰고
첫눈 먹기 놀이를 했던 추억을 떠올렸다
사랑의 첫들머리에서 아픔의 첫딱지는 가슴속에 첫물지며
그 첫해는 그렇게 지나갔다

어제 뜬금없는 첫눈을 본 날
송이송이 눈꽃이 그 첫날처럼 소담히 날렸다
졸음 잊은 인사동 골목 불빛들도 들떠

_삶의 자연을 그리다

눈송이 잡아타며 밤을 지새워 놀았고
세월에 영혼을 판 사람들은
깔깔대며 잘 모를 미래의 추억을 샀다
그렇지만 그는
빨간 우산으로 외로움을 숨기며
첫눈과의 입맞춤은 꼭 피해야만 했다
첫추위쯤엔 늘 그래 왔던 것처럼

잃어버린 것을 찾아서

언제런가
아마도 그때는 내가 나였음직한 그 시절이었으리라
수많은 사연의 시인들이 낙엽에 그려진 페시미즘을 찬미
했고
어떤 가난한 소설가는 얼룩진 종이로, 한 자락 헤도니즘을
샀다
그때, 나는 내 젊음을 팔아 잃어버린 것을 찾아 방황했다

또 그 언제런가
아마도 그때는 네가 너였음직한 그 즈음이었으리라
뽀얀 연기 속 라이브 카페의 기타리스트는 로맨티시즘을
노래했고
어떤 가난한 화가는 여인상 입술로, 한 잔의 니힐리즘을
샀다
그때, 너는 네 청춘을 팔아 잃어버린 것을 찾아 헤매었다

그리고 이제런가
아마도 이맘때는, 가을이 이미 겨울임 직한 계절이리라

서글픈 가을은 다시 낙엽을 팔아 아득한 봄에게 축배를 올
리고
나는 아직도 지금의 내가 아닌, 잃어버린 나를 찾아 남은
세월을 팔아 버린다
너는 지금 그때의 네가 아닌, 잃어버린 너를 찾아 남은 인
생을 사 버린다

희망과 절망에 대하여

희망이 극한의 절망적 순간에 한 가닥의 빛으로 찾아온다
믿는 것은
그 희망을 찾기 위해
그 판도라의 상자를 내가 열어야 한다는 것과 같다

절망은 신념에 찬 희망을 가질 때 썰물처럼 밀려간다 믿는
것은
그 절망을 피하기 위해
그 판도라의 상자를 내가 열지 말아야 한다는 것과 같다

태양만 희망이라 한다 하여
달과 별은 결코 절망하지 않으며
낮에도 빛을 발하고
어둠 속에서는 장님이나 멀쩡한 이 모두에게 희망을 빛을
준다

날개만 다치고도 절망하여 뛰려 하지 않는 파리는
저는 다리를 끌며 살 희망 가득 차 쫓겨 오는 개구리가 잡

_삶의 자연을 그리다

아먹을 수도 있지만
그것은, 송골매에 쫓겨 오는 독사 한 마리의 먹이가 될 수
있다

큰 희망만을 바라볼 땐 치명적 절망이 잘 안 보이고
어려운 순간마다 절망만을 생각할 땐 하찮은 것에도 절망
만 하며
소박한 희망과 감내할 수 있는 절망이 교차할 때
비로소 잡을 수 있는 희망이 가까워질 수 있다

사유하는 까닭

나 아닌 내가 나 아닌 나를 울리고 웃기며 조정하고
번뇌의 철선 올가미에 전신이 꽉 조여 꼼짝 못한다
히득대는 악의 미소는 심연 속에 다시 꿈틀대며
간사한 혀는 진한 마약을 한 듯 흥얼대며 추근댄다
창호지 같은 귀는 스치는 바람에도 쫑긋거리고
보이는 것은 다 의심하는 눈은 가재 눈을 하고 있다
게으름에 쩐 다리는 쓸모없는 털만이 더부룩하며
손은 성실한 듯 바쁘지만 쉽게 넘어가 손바닥을 보인다

소크라테스의 화려한 명언은 한낱 변명에 지나지 않았고
미켈란젤로의 벽화는 신성한 섭리를 감히 모독했던 것이며
끝없이 갈구하는 베토벤의 운명은 치명적 절망이었다
형이상학적 삶의 방식에 뫼비우스의 띠를 두껍게 입히고
괴테의 슬픔을 안고 세레나데에 맞춰 미친 왈츠를 춤춘다
세상은 나 없이도 존재하고 침묵의 무의미로 진화하며
윤회의 끝이란 매듭 없고 쉼 없는 동그라미 그 자체이다

_삶의 자연을 그리다

불난지

개불알, 씨불알 다 좋은 말
반드시 튼튼해야만 할 녀석
그런 씨 없는 인생은 어디 없겠지
그래도 낙지만큼은 아니겠지
어차피 흐물거릴 사랑이라면
어차피 또 목석같은 정이라면
하늘에 불난지 다리 춤출 때
나는 여기 삼다도에서 바람만 날려야지
도새기, 소오랑, 아방, 어멍, 할망, 하르방…
아무렇거나, 나는
짝 찾는 넹바리 하소연과
물질하는 좀녀 콧노래까지
다 들어야지, 그리고
질끈, 다 떠나보내야지

고인돌

언제
그대 웃음소리 들렸으랴
그 까마득한
세월의 짓누름이여

어디에 또
그대 외로이 있었으랴
명주실 한 오라기 외침마저
숨이 막히누나

그리고 누가
천둥처럼 울어옜으랴
홍수 진 그대 눈물에
내, 어이 떠내려가리

이끼 낀 육중한 침묵 위로
그대 심은 진달래 피어 좋은 날
징 소리 사람 소리 그치고

하얀 그리움 입고

그대 영영 내 옆에 오면

그때는, 새까만 하늘이 무거워

그대와 난, 정녕

다시 이별하던 못하리라

어떤 고민 1

사람은 누구나가 시詩일 것이다
꽃도 나름대로 그 자체가 바람이다
네가 달을 그린다면 별이 될 수 있다
세월은 꿈을 꾸기에 하늘을 난다
종려나무는 또, 그대로
시골 한 소녀의 사랑이 될 수 있다
시詩는 그 자체로는 시詩가 아니다
그래서 나는 나대로 시일 수 있을까
우주 삼라만상도, 인간사도
결국은 단 한 줄의 시詩로
우릴 놀리며 노래하고야 말 것이다

_삶의 자연을 그리다

비겁한 나는

새파란 하늘 보며 눈 감고 운다
맘 비운 하늘은 내게 뭐라 하는데
비겁한 나는 쳐다보지도 못해
멀쩡한 위례산 정자에 대고 욕 한 바가지 퍼붓는다
괜스레 위례산 터우리 바위에 올라 발길질한다
비겁하게, 그것도 홀로 산에 올라
비겁한 내 맘의 번뇌만 가득 채우는데…
아직도 꿈 못 깬 나목들까지 내게 뭐라 하는데…

시詩의 존재存在 이유

한 명의 시인이 백 편의 시를 쓰든
백 명의 시인이 백 편의 시를 노래하든
그래서 그중
한 편의 시를 천 명의 독자가 읽든
백 편의 시를 한 명의 독자가 노래하든
그 사람은
바닷가 모래알처럼 많은
서로 다른 자신을 보는 특권을 누리는 것이다
시의 존재의 이유에 대해 묻는다면
'전자문학과' 출신인 나는 이렇게 답할 것이다

_ 삶의 자연을 그리다

꽃 7

내가 깊은 뜻 있어
네게로 가면
너는 날 보고는, 차라리
'뚝뚝' 떨어지겠지

내가 혹여 실수로
네 곁을 스쳐도
너는 날 보고는, 기필코, 또
'뚝뚝' 떨어지겠지

사랑에 관하여

사랑의 출발은 한 점의 바람이며
세상의 한 점인 나로부터 시작한다
그래서 자신을 사랑하는
사람은 타인을 사랑할 줄 안다

타인의 사랑을 받아 본 사람만이
나를 사랑할 줄 안다
나를 사랑하는 사람은
타인도 나의 참사랑을 안다

주기만 하는 사랑은 아플 수 있다
받기만 하는 사랑은 슬플 수 있다
아픈 사랑은 기쁨을 담고 있다
슬픈 사랑은 낭만을 알고 있다
참된 사랑은 거짓 사랑도 포옹하며
눈물을 흘리면서도 상대를 축복한다

그 사랑은 또

_삶의 자연을 그리다

그 이유에 대해 묻지도 않는다
그 사랑은 또
그 사람의 마음속에 있다
그래서 그 사람도 그 참된 사랑을 알게 되고
그 사랑을 실천에 옮긴다

만나든 떠나든 기쁘든 슬프든
사랑은 항상 사계절 국화 향을 품고 있다
미운 사랑이나 싫은 사랑이나
값이 싸거나 비싸 보이는 사랑이나
모두 품어 안는다

그리고 사랑은 사랑한다면 굳이
사랑해야만 한다고 말하지 않는다
또, 사랑해선 안 된다고도 말하지 않는다
더구나 그런 것을
사랑이라고도 하지 않는다

사랑은 그렇게

색깔도 없이, 모양도 없이, 느낌도 없이

게다가, 쓰다거나, 달다거나, 시다거나 하지도 않고

사랑을 품고 사는 이에게는

꽃샘추위 속 한 줄기 봄바람같이

그냥 따사롭게만 넘쳐난다

꽃 5

그냥 좋아 기뻐 바라만 보는 것이나
하냥 슬퍼 쓰다듬기만 하는 것
무의미한 바람에 그저 스쳤던 것도
네 품속 향내가 때때로 날카로웠던 것
널 향한 온 세상 찬사나 비방이라도
나는 떨어진 널 안고 아파한 후에야
정녕 너에 대해 심중의 말하리라

황태덕장

한물간 그 청춘 그 눈빛이여
침묵을 먹고 늘어선 주검이여
등짝 말리는 후회의 눈보라여

곧추서 얼어붙은 사랑이여
파리한 하늘로 흩어진 이별이여
꼼짝없이 닳아 갈 내 인생의 그림자여

너와 나의 그 초라한 먼 훗날
아파 울어야 할 차디찬 멍우리들
아, 아리따운 그 자태여

_ 삶의 자연을 그리다

너 그리고 나 S12

그 붉은 내 심장에
내리꽂힌 그대 비수여
내 오월의 마지막 날
애타는 그대, 장미송이여

깡마른 몸매로 외줄 타는
아침 무당거미, 가엾은 나…
이슬방울 되어 목마른 시냇가
차고 넘칠 내 영혼이여

어디서 쏟아지는
그대 그리고 내 꿈 범벅되어
아, 때 이른
장마전조의 무정한 소낙비여

실망失望에 대하여

아침 이슬 머금고 지는 나팔꽃이 그에겐 가장 아름다운 것을
바람이 세게 불수록 민들레 홀씨는 더 어지러워 신명난다
는 것을
말라 갈라진 웅덩이라야 메기들의 씨가 살아남는다는 것을
유기견은 가끔 어물전 주인의 몽둥이에 얻어맞아야 한다는
것을
다리 잘린 쥐는 절면서도 덫 놓인 곡간 구멍 들락거려야 하
는 것을

꽃샘추위, 물난리, 태풍 그리고 거센 눈보라라 할지라도
파리, 모기, 벼룩 그리고 징글맞은 진딧물 떼라 할지라도
저기 지하철 보도 입구 한 노숙자의 화려했던 시절같이
바람 잘 날 없는 바다 끝 마라도 성당의 한겨울 종소리처럼

게다가, 이게 다는 아니라지만
네가 날 아프게 할수록 내가 널 더 사랑할 수밖에 없는 것
같이
삼백 예순 날을 간절함에 사는 옆지기 울리는 철부지처럼

_삶의 자연을 그리다

실망의 씨는 황야에 떨어져 심겨야 안 죽는 희망이 싹튼다
는 것을

침묵 沈默

침묵은 말한다
나는 그저 바라만 볼 뿐이라고
기쁨과 슬픔, 사랑과 이별에 대해
굳이 말할 것이 없다고
그것들은 원래 그런 것이라고

또, 침묵은 외친다
"너" 그리고 "너"가
사랑의 기쁨에, 이별의 슬픔에
말 못한 채 희열하고 오열했던 나보다
그렇게 할 말이 많으냐고

마침내 침묵은 목 놓아 운다
울어 지친 눈물은 빗물로 쏟아지며
희미한 한 가닥 감정마저 흘려보낸다
이제는 더 이상의 침묵은 없다며

_ 삶의 자연을 그리다

꽃사과

발그레한 볼에
앙증맞고 앙칼진 그 모습
툭하면 토라지는 너처럼
정말 정말 얄미워

몸 달아, 냉큼 한입에 꽉 깨물다
톡 쏘는 시큼한 사랑에
내 눈 감기며 정신이 아찔해
사근사근 달달한 그 그리움에
내 맘 푸근히 온몸이 나른해

사리탑 舍利塔

파란 하늘 청동靑東빛
돌고 돌아 내려앉는다
곱상한 모자 닮은 탑 위로
고민하는 다보탑 위로

언제인가 그녀는 참도參道로 가는 길에 울었으리
같이 가야 할 낭군의 그림자에 또 한껏 웃었으리

저 멀리 목탁 소리 독경 소리에
그 비구니의 저편 인생 이야기 실려 오는데
봄을 앞둔 늦겨울 바람은 또 그렇게 모진데

말없는 사리탑들만 그날의 이야기를
그 아픈 사리에 품고 수행修行하고 있는데

_삶의 자연을 그리다

꽃 3

봄이 올 때 지는 내게
웃어는 보았는지요
피는 것에
그대 울어도 보았는지요
오가며 스쳐 지나는
그대 바람에 흔들릴 때의 제 아픔을
그려는 보았는지요

봄이 내 앞에 왔어도
마냥 가슴이 아리기만 하고
벌나비 날갯짓 향내가
코끝에서 쓰기만 하다면
누구라도 이 따스한 봄볕에는
그저 어쩔 줄 모를 거잖아요
그저 슬프거나, 기쁘거나
아니면, 의미 없이 실실대는
봄꽃 구름이겠지요

백 가지 전설 6/100
_ 버티기 제왕

쌀을 번쩍 들고 가는 개미의 알통
바둑알을 들썩이는 벼룩의 허리 힘
내 장딴지 물고 팔뚝만 해지는 모기 장딴지
코끼리를 움직이는 코끼리 쓸개

그리고
내 손톱과
그 밑의 때와
이불 속 진드기한테 배우는 그 비법

시루

떡이며 술밥이며 콩나물이며
명절이나 제사나 큰일 때면
늘 한없는 덕을 베풀었다

구멍들만 멀뚱히 하늘 향한 채
언제부터인지도 모르지만
장독대 옆에 마냥 엎어져 있다

그 언제일진 모르지만
그마저 못할 그때가
땅을 치며 울고 말 날이겠지

네가 정녕 꽃이라면

여시처럼 분칠하고
혹하고 홀리는 향내 피우며
아무에게나 덥석덥석 안기면
너는 참말로
널, 꽃인 양 여긴다냐

내 기뻐 널 찾아 헤맬 때
달려와 웃어는 주었으며
아파하는 날 꼭 끌어안고는
꽃잎 떨구며 울어 보았느냐

제발 보여다오
밑도 끝도 모를 그 마음을…
네가 진정 내 꽃인지를…

네, 정녕 꽃이라면!

꼽추

푸른 들판 초장 위를 뒹굴대며
파란 하늘 우러르면
언제나 혼자 기뻐 눈물 고인다

동산 너머 엄마 맘 붉은 노을
굽은 등에 비껴 신고 내려오며
늘상
얼레리 꼴레리 노래 듣는다

옆으로만 마주치는 엄마 눈길
이슬 젖어 돌아눕는 그 모습에
죽도록 내가 미워

베개에 엎어져 울음 안 보이고 싶어
한 번만이라도 천장 보며 바로 눕고도 싶어
더는, 엄마 등어리 안 아프게 업히고 싶어

내 인생의 위대한 스승 셋

누가 내게 굳이
"당신 삶에 있어 가장 위대한 스승 셋을 꼽아 보시오"라고
한다면
나는 '부모님', '아내' 그리고 '세월'이라 말할 것입니다

'부모님'은 나를 존재하게 한 근원이며
인간의 가장 밑바탕 됨을 갖추고
내 생을 살 수 있는 심신의 터전을 만들어 주셨으며
오늘 이 순간까지 그리고 미래에까지 지탱할 수 있는
근본을 내게 주셨기 때문입니다

'아내'는 가장 인간적인 삶이란 무엇인지
끝없이 내게 교훈을 선사하며
내가 사고하고 행동하는 데 필요한 자양분을
조건 없이 아낌없이 공급해 주는
죽어서도 나와 같이해야 할 유일한 옆지기이기 때문입니다

'세월'은 내가 태어난 이후 내 모든 삶을 관통하며

자연과 세상을 관계하는 데에 통찰력을 길러 주었고
또한, 나 자신을 성찰하게 하며
남아 있는 생애 동안 지향해야 할 이정표를 제시
나를 그리로 그리고 그렇게
꾸준히 이끌어 주기 때문입니다

추억 그리기

지금, 희미한 널 보며 미소 짓는데
너는 또 그때처럼 딴짓하니?
아님, 나처럼
밤새 손에 물들이고 있으려나?
그때 그 알록달록한 그리움을

아무렴 어때
소중한 내 모든 추억이라야
딸랑 이 한 장뿐인 걸

그런데, 넌
다른 애만 여전히 눈에 차지?
난 널 알거든
너의 그 '끼' 말이야, 픕~
지금은 범생이라며?
그래, 인생은 석류처럼
그렇게 아름답게 변해 가는 것이지

미련 남은 세월 탓인지
나른하니 보고프네, 그냥…
너랑 친구 모두들

내가 아주 잘 아는 한 여인

그녀는 천상天上의 여인입니다
천생天生의 여인이기도 합니다
그래서인지 때가 되면
내가 좋아하는 오이지를 잘 담습니다
또한, 은은한 노랑장미 향내를
늘상 품고 있습니다

소박한 옷매무새에 푸근한 미소는
백가지 매력 중 으뜸입니다
엄마, 누나, 동생, 애인, 친구
내가 원하면 무엇이든 되어 줍니다

그녀는 내가 열감기만 살짝 앓아도
홀로 너무 마음 아파합니다
무릎 위에 머리 대고 누워 있노라면
눈가에 그림 짓는 수심이
내 얼굴에 별처럼 쏟아집니다

_삶의 자연을 그리다

내가 아주 잘 아는 그 여인이
내 모든 행복을 만드는 것 같습니다
그래서 나는 눈빛만 보아도
그녀에게 감사한 마음뿐입니다

깨알 같은 이러한 온갖 이유로
나에겐 지상에서
가장 아름다운 그녀입니다
나는 사나 죽으나 늘
함께할 수밖에 없는 여인입니다

(내가 아주 오래전부터 잘 아는
내게 가장 친근한
제일 사랑하고 좋아하는)

씨 1

내 모두를 닮아 달라
자신 있게 말 못해도
어디에든 떨어져
싹트고 꽃 피거들랑
향이라도 스쳐 가 주렴

내 전부를 기억하라며
내리는 비 막을 수 없어도
꽃이 아프게 지고
힘겹게 또 달리거들랑
인연 있었다 전하여 주렴

_ 삶의 자연을 그리다

부부 1

서로에게 엄마 아빠처럼
의좋은 두 남매같이
열렬한 사랑의 애인같이

그리고
어떤 때는 물과 기름처럼
가끔은 창과 방패같이
이따금씩은 서로 남남인 듯

희로애락의 수수께끼를
세상에서 가장 잘 풀어내는
신비롭고 오묘한 인연의
꼭, 한 쌍인 남과 여의 관계

그래서 어쩌란 말이냐

하해 같은 웅지를 품어라!
높은 기상으로 창공을 항해하라!
용광로 같은 태양을 마셔라!
초록빛 꿈 너른 산천을 뛰달려라!
기백 찬 목소리로 천지를 호령하라!
한 줌 심장으로 사해를 물들여라!
죽은 자들을 일깨워 진군하라!
고난의 폭풍에 눈 부릅뜨고 맞서라!
진토 된 백골을 사방에 흩날려라!

_삶의 자연을 그리다

했어야만 했는데 1

개구쟁이 어린 시절
어머님 부지깽이로 맞을 때 그랬었던 것 같다
그런데 어머님께서도 그러셨다 하셨던 것 같았다

중학 시절
그 소녀와의 철없던 첫사랑도 그랬었던 것 같다
그때, 선생님께서도 그러셨다 하셨던 같다

피 끓던 청년 시절
갈망의 봄빛도, 불타던 땡볕도, 쓰라린 낙엽도
그리고 날 묶는 이 혹한도
분명, 그렇게 외쳤었다
후회, 비탄, 절망조차 나를 밟고 그 노래를 불렀었다
차라리 울며불며 그렇게 소리쳤다
그제는 안 그럴 줄 알았다
어제는 결코 아니었다고 본다
오늘은 맹세코 아니길 바랐었다
내일은 진정 아니리라, 아니리라

어떤 오계

지는 꽃만이 꽃이라 불린다면
나는 그저 바람이었다
불지 않는 바람은 바람이 아니라면
나는 또 꽃이었다
세상 꽃들이 한꺼번에 펴야 바람이 분다면
나는 차라리 빈 하늘로 마냥 남았다

누군가를 떠나보내야 매미가 운다면
나는 그 뜨겁다는 태양이다
여름밤에 뜨는 별만이 잘 보인다면
나는 또 먹구름이다
홍수 진 눈물이어야 장마가 진다면
나는 끝까지 네게 묶인다

잎새 쏟는 은행나무라 하여 생각이 많은 거라면
나는 차가워져야 할 갈바람이겠다
한 잎 남은 추억이 진한 줄 소나무가 모른다면
나는 홀로 낙엽 밟는 길 잃은 사슴이겠다

_삶의 자연을 그리다

한꺼번에 잎이 진 나무들만 된서리를 피한다면
나는 짝 잃은 기러기로 끝까지 날겠다

의미 없는 하얀 눈이어야 눈답게 포근하다면
나는 얼어붙은 호수이고프다
겨울에 홀로 나는 기러기가 정말 외로운 거라면
나는 달이 되어 그저 쳐다만 보고프다
눈 내리고, 바람 불고 그래서 추운 겨울이라면
나는 끝까지 네게 더 다가가고프다

꽃이 피거나 져서 바람이 불든 말든
무엇에 슬퍼 우는 매미 눈물에 내 떠내려가든
된서리에 푸른 잎이 다 떨어져 한꺼번에 다 날리든
의미 있다는 함박눈에 꽁꽁 언 호수가 녹든
봄, 여름, 가을, 그리고 겨울을 한꺼번에 다 안고 살고프다

흑黑몽돌

파란 하늘이 부러워
하얗고픈 꿈
닳아지지 않는 내 인생
쓸데없이 만질만질한 추억
두리뭉실한 까칠함
그래, 그래, 그래
너, 너, 너!
깜장 모오리돌아!

_삶의 자연을 그리다

민들레

찢기는 아픔을 안고 자란
슬픈 내 님의 민들레
갈래갈래 그리움
진노랑 꽃에 뭉쳐 피우더니
절망에 몸부림치며
내가 오기도 전
솜털 같은 미생의 씨앗들을
밉디미운 뜨거운 봄바람에
허무하게 흩날려 보낸다

못난이

청개구리 한 마리 팔딱거린다
이끼 낀 바윗돌을 기어오른다
그 작은 손을 바짝 뻐치곤
뒷다리를 쫙 벌린다

쉬파리 한 마리 위에 보인다
바둥바둥 기어이 올라왔다
그러나 파리는 저만치로!
잡힐 것만 같았는데

억새풀에 등이 긁힌다
찔레 가시에 뒷다리가 걸려든다
이번엔 귀뚜리 한 마리 조만치에
꼭 잡고 말 테야
독사 한 마리 웅크리고 있다
눈꺼풀만 껌뻑껌뻑
그리곤 이내 팔딱팔딱
고픈 배를 움켜쥐고 달아난다
세상을 떠돌아다닌다

다 그대 탓

그대를 미워했고 좋아했던 것도
지금 달이 뜨는 대신 비가 내리고
그 비를 또, 내가 맞는 것도
그리고 다음 날 아침이 오고
멀쩡한 해가 날 다시 비추는 것도
꽃이 피고 지며, 잎이 떨어지고
한때 같이 바라던 눈이 오는 것도

아니, 내 모든 날이 있어 왔고
앞으로 또 있어야 하는 것
심지어 내 목숨이 붙어 있는 것도
그대나 나나, 혹은 온 세상이
기쁘든지 슬프든지

이렇게 뭐든
그대 탓이라 하는 것조차도
그냥, 다 모든 게…
아무 이유 없이…

도라지 꽃망울

밭 매시던 할머니 한 맺힌 응어리
도라지 무치시던 어머니 정 몽우리
내 청춘 아픈 님 가슴속 하얀 봉오리
님 두고 떠나는 내 눈물 망울망울
미워 꾹 눌러 터트린 보랏빛 멍우리

접시꽃

애당초
내 싫어 네가 졌다면
차라리 나는 네게
햇살보다는
찬비였을 것을

아니 오히려
너의 피는 아픔이라도
내게는
기쁨이었을 것을

지금 이렇게
덩그러니 마주한
네 얼굴 위로
슬픈 미소만이
갈바람으로 스친다

도토리 2

엉덩이에 빵떡모자
멋대로 팽개치고
사방에 튕겨나 뛰논다
통통통, 또그르르, 또또그르르

모자 안에서는
봄 냄새와
한여름 꿈 자국
그리고 가을 흔적이
하얀 눈을 쓰고
겨우내 도란이겠다

그런데 넌 어디 있니?
기쁘니?
아니면, 슬프니?

어떤 희망 사항

어름 속 졸졸졸 흐르는
청순한 네 목소리 들어
더러운 내 입 씻고 싶어

차고 고결한 너를 마시어
더러운 내 오장육부
말끔히 정화하고 싶어

동행 1

함께 걸어온 모든 길을
삼백 예순 다섯 번을 다시 돌아
모시적삼 백발이 하늘에 닿으면
쪽빛 물이 드는 그곳을 지나고
같이 웃어야 자라는 꿈길 따라
꼭, 십 리만 더 가면
하늘 밖 푸른 바다가 보이는 곳
땅끝에서 하늘 끝까지 가는 길을
나는 알고 있습니다

가을 바닷가에 홀로 누워

가을이 막무가내 물에 빠진다
철썩, 철썩, 쏴아
바다에 단풍 물들인단다
금방 허우적댄다
하얀 물거품만 조약돌에 구른다
하늘, 바다, 바람은 여전히 파랗다

그것 봐
꿈이라고 했지?
꿈…

맘 비운 소라 껍데기야
너는, 알지?

바다를 품에 안고 말 거야
너만 해질 때까지 기다릴 거야
여기서 하늘만 매일 볼 거야

만신창이滿身瘡痍 내 영혼靈魂이여

갈 곳 잃고 방황하는 내 영혼이여 영혼이여
썩은 물속 연근도 넉넉히 뿌리내려 꽃을 피우거니
날개 찢긴 나비라도 웃어 반길 풀꽃 어디에나 있거니
가시 박힌 개구리도 절며 절며 물가로 너끈히 향하거니

심신 상해 쓸모없는 내 영혼이여
암흑에서 깨어나 태양 녹아 뜨거운 축배를 들어라 들어라
영영 님이 떠난단들 해와 달이 떨어지랴
삶의 고통에 짓눌린들 심장 터져 죽으랴
한 꿈 못 이뤄 초췌한들 입에 날파리 넘나들랴

만 갈래로 찢어지고 갈라진 내 영혼이여
충분히 아픈 후에 더 흠씬 아프거라 아프거라
홍수 진 내 눈물에 별 같은 나의 혼이 잠기랴

_삶의 자연을 그리다

몽달귀신과 손각시

문자로도, SNS로도 볼 수 없고
전화로도 목소리 들을 수 없고
한달음에 있어도 볼 수 없으며
지금 마주 보고도 말 건넬 수 없는
나는, 늘 애달픈 몽달귀신
그대는, 하냥 눈물짓는 손각시

인연의 이승에서도 못 만나고
윤회의 저승에서도 재회 못하며
절대적 이별이 영원히 숙명 지워진
나는, 어둔 땅속 헤매는 몽달귀신
그대는, 까만 하늘 배회하는 손각시

부정父情 1

당신만 위한 꿈 질끈 접으시사
천근 바위에 한평생 눌려 오시사
검게 탄 가슴 홀로 매양 앓으시사
강풍막이에 주름살 지으시사
아픈 아내 논일에 슬픔 삼키시사

늘 말없는 당신
산더미 같은 가난 지게에 지고
야위어 비틀대며 장에 팔러 가셨다
어머니는 콩 팥을 똬리도 없이 이고 가셨고
코흘리개 철부지 나는 눈깔사탕만 바랐다
할머니는 장고개 오르시는 당신 뒷모습에
눈물 쏟으며 먹먹해하셨다

큰 뜻으로 항상 진중하신 당신은
우리를 감싸 안는 큰 하늘이시고
우리들 굳게 선 땅입니다
당신의 정은 황금보다 귀하고

매화 향보다 그윽이 퍼져납니다
그 모든 가 버린 세월
하늘로 땅으로 우리에게로

빚

누구에게나 슬플
이 계절이 다시 오기 전
미리 빌어 써 버린 청춘이여!

남은 것이라고는
쓸모없는 자투리 가을과
싸구려 낭만
그리고
아무도 살 리 없는
낙엽 속 실없던 사랑아!

사랑이 마실 갔나

아카시아꽃 진한 향기
살랑살랑 코앞에 꼬리 치네
늦바람 든 저 민들레 홀씨
하느작대며 날 유혹하네

봄빛은 마냥 웃고
여기 들꽃에 추억은 선연한데
그 사랑은
다시 떠나가는 봄바람 따라
산 너머로 또 마실 갔나

물꼬

길도 있다
문도 있다
알게 된다
연결된다

푸르름도 있고
양식도 있고
삶도 있고

사랑을 보고
정을 트고
이별을 보내고

_삶의 자연을 그리다

쭉정이

그 돌담, 기다림 끝에 쪼그라든 유자
말라비틀어진 콩깍지 속, 그 사랑
고추선 이삭에 이미 청치가 된 이별
참새 눈물 젖은 갈색 허수아비 껍데기
발에 툭툭 채이는 찢어진 낙엽들까지

다들, 다 쓸데없는 거라지만
상처 난 세월에 새살 돋는다지만
그래도 겨울이 오면 너무 춥지 않겠니?

부부 2

코흘리개 소년 소녀가
엄마 아빠 놀이하다
한순간 토라져 서로 삐치지만

다음 날 새침 떨고는
다시 연지곤지 시집 장가 놀이하듯

여전히 서툴게
소꿉장난 중에 있는
철부지 너와 나

_삶의 자연을 그리다

손수레

나를 태우고
나 혼자는 끌 수 없어
나는 그대를
여기서 기다리는데

그대를 태우고
그대 혼자는 끌 수 없어
그대는 나를
거기서 기다립니까

내 고향 7월 이맘때는

내 살던 고향의 7월 이맘때는
언제나처럼
뜨거운 여름이 복작대었다

아기 옥수수수염은
할머니 얼굴에서 장난쳤고
바랭이 깔린 콩밭은
바쁜 엄마 손길 기다렸다

또, 싱그러운 풋고추는
아버지 밥상에 올라앉았고
도라지꽃은 땡볕에서
씨를 만들려 무진 애썼다

아이 걸음 한나절 거리
흰 구름 둥실대는
장고개 너머 비탈밭에서는
사과 배와 고구마가

_삶의 자연을 그리다

쑥쑥 자라며 부산떨었다

그럴 때면 나는
까까머리 단발머리 애들과
그물에 잠자리채 매미채를 넣고는
온종일 냇가에서 추억을 잡았다

앵두야, 어쩌라고

수줍은 처녀애들
애먼 바람 품에 안고
설레는 가슴 콩닥거리며

속살 비치는 탱탱한 고운 살결
행여 누가 볼세라
초록 잎에 기대어 꼭꼭 숨더니

간지런 바람 핑계 삼아
빨간 순정 드러내곤
서로 비비대며 알알이 시새우는데

내게 어쩌란 말이냐
앵두야, 어쩌라고!

_ 삶의 자연을 그리다

여름은 나를 떠나려 하는데

매미 소리는 땅속에 묻힐 추억에 울어 대고
푸른 초목들은 가 버린 내 청춘처럼 여전히 철이 없는데
여름은 이렇게 나를 훌쩍 떠나려 한다

콘크리트 화단의 시든 장미 꽃잎은, 왠지 초라한 이파리에
매달려
다시 못 올 이별은 없다고 몸부림치고
애증의 백사장에는 한때 우리인 듯한 연인들이 깔깔대는데
그래도 여름은 매정하게 나를 떠나려 한다

하지만, 외로운 산속에
아직도 순백의 백합꽃 향을 찾아 헤매는 날개 다친 나비처럼
땡볕 아래 목마른 나는 지금
차가운 장대비가 쏟아지는 들판을
지쳐 쓰러질 그때까지 달리고 또 달려야만 한다
그렇게 여름은 나를 떠나려 하는데…

열정

이것은 부단한 노력의 원동력이며
온몸으로 목표에 집중하게 하고
단시간에 효과를 극대화하게 합니다

나를 진정한 멋쟁이로 만들며
사람들에게 믿음을 주게 하고
누구든 나를 좋아하게 만듭니다

또한 불가능을 가능케 하며
화산처럼 세상을 움직일 힘을 주고
온 세상을 내게 다가오게 만듭니다

이것은 사람과 사람들 사이에서
나를 사람답게 살게 하며
죽어서도 영원한 향을 남게 합니다

_삶의 자연을 그리다

시인은…

뺑쟁이 강냉이 파는 펑쟁이
눈 속 새침쟁이 동충하초
자나 깨나 꿈같은 꿈만 꾸는 몽상가
생쥐와 연애하는 술 취한 고양이
엄한 사람 바람 태우는 바람둥이
세월에 낚인 나그네 낚는 낚시꾼
늘 자신한테만 속는 백치, 천치
오욕칠정 소굴 속의 나 홀로 수도자
쓸모없는 짓만 하는 쓸데없는 자
몽환가, 환상가, 정신분열자…
철학자, 스승, 도망자, 살인자…
천덕꾸러기, 마당쇠, 돌팔이…
무당거미, 풍뎅이, 소라껍질…
바람, 구름, 별, 달, 태양…
그리고 자신의 굴레에 갇혀 죽었고 죽고 죽을 자

우리는 무엇입니까

꼭 살아야만 할 이유를 왜 죽느냐는 물음 속에 빠져 헤매
찾고
슬픔을 알아야만 참된 기쁨을 가슴으로 느낄 수 있으며
서로 힘겨워해야만 머언 훗날 그 뜻깊은 추억으로 된다면
지금, 우리는 무엇입니까

시든 풀잎 위 비 맞는 한 쌍의 하얀 나비에 눈길조차 주지
못하고
기다림 끝내 떨어져 누운 봉선화에 눈물 한 방울 흘리지 못
하며
인연이란 그저 정처 없이 흐르는 물이라 체념한다면
또, 우리는 무엇입니까

뭇 사랑에 하냥 밟히고 채인 풀꽃은 더 야무진 씨를 잉태하고
해와 별은 한 하늘 아래 이 세상 끝까지 함께 빛나며
그래서 이별이란 어느 철부지 신의 일탈로 빚어진 치명적
인 미라면
진정, 우리는 무엇입니까

_ 삶의 자연을 그리다

넝마노인 1

내가 사는 삶의 내 수레에는
사람은 누구도 나는 태울 수 없다오
할망구조차도 타지 않으려 한다오
오가도 않는 자식은
타라 하고프오 만은
탈 수 있는 객은 넝마뿐이라오
쉬-잇!
근디, 행여 그 손님한테 뭐라 마소
할멈과 내 명줄을 꽉 진 갑이라오 갑…
비가 오나 눈이 오나
내도 타 보지 못한 이 수레에
그 짭밥박스 조각마저도 태워 모셔야 할…
그저 내 지쳐 쓰러질 때 그날까지 말이오
그렇지만 나도 꿈은 있다오
내 곧 저 속 편한 세상에 가면
꽃가마 수레에 할멈을 태울 거라오
가마꾼도 사서 말이오

조개껍데기

캐내져 속살이 뜯기는 아픔도
버림받는 수치와 밟히는 숨 막힘도
다 내겐 팔자이고 추억이지

그런데 진짜 참을 수 없는 건
낯선 뭍으로 날 데려가는 거

그것은 이별은 고사하고
추억을 송두리째 도둑맞는
절대 절명의 일이지

나는 바다가 곁에 없으면
추억이 뚝 하고 꺼지거든

하마 그렇더라도
땅속에만 버리지 않기를 바라지
그때는
추억이 아예 죽어 버린단다

_삶의 자연을 그리다

그렇게 되면
너도 무척 슬프지 않겠니?

그저 꼴랑
빈 조개껍데기인데도!

무제 1

아침이면 해가 뜬다는 진리와
노을 너머 태양은 빛난다는 섭리도
내게는 무의미로 다가오고

꽁초 같은 한낮의 지껄임들
칡덩굴 같은 상념들은
버려지고 얽히어 뒤범벅이 된 채
마지막 남아 몸부림치는
희미한 의식마저 흩으러 버린다

그렇게 명주 한 올 의미라도 기대일
알량한 명분조차 없이 찾아 헤매다
풀이 죽어 쓰러져서는
나는 이렇게 '무제'라 쓰고 만다

키 작은 코스모스

무엇에라도 흔들린다면
참 좋것다

아무 거라도 날아든다면
한번은 웃것다

구름이라도 봐 준다면
그래도 참것다

그 씨라도 안 달린다면
정녕, 원이 없것다

해바라기 1

새까만 밤에는
나는 그대의 외로운 별바라기
휘영청 밝은 달 아래
그대는 나의 그리운 달바라기
부슬비 내리면
그대와 나 쓸쓸한 비바라기

꽃우리 안, 응어리진 사랑은
숱한 꽃송이로 다시 피고 지고
까맣게 영그는 그 아픔에
고개를 푹 떨굴 땐
그대, 날 울리는 땅바라기

슬픔마저 얼어붙은 겨울
임자 없이 버려진 채
고드름 달린 눈물 뚝뚝 떨어져
새하얀 눈을 녹일 땐
나는, 그대 울리는 눈바라기

_삶의 자연을 그리다

상념을 그리다

상념을 그린다
얽히고설킨 뇌리 속에서
무엇인지도 모른 채
불같고도 아팠던 사랑에 대하여
어떡하는지 알 것 같았던
두렵고도 당당했던 이별에 관해서
그리고 다시
네 그리움 같은 내 외로움을
마지막 108번째 종이가
눈물에 다 젖어 녹아 풀어질 때까지
추억만큼이나 고운 선으로만

일기장

어디서, 왜, 그리고 무엇을 위해
본래 나인 내가 태어났고
살았으며 살고 있고 살 것인지
나 홀로 작가이자 독자가 되어
한 번만 지나가는 출발역에서 종착역까지
딱 한 번 쓰고
수없이 읽기만 해야 하는
알고도 고쳐 쓰지 못하는
세상에 단 한 권뿐인 이야기책

_삶의 자연을 그리다

해바라기 2

그대, 이제사 고개 푹 숙인 채
뭐하시나요
왜 그러시나요

내 살던 고향 한가을은

안마당 빨랫줄엔
코흘리개 시절
어머님 향내 널어져 있고
뒤란에 늙은 호박들은
장내 나는 장독대 앞에서
뒹굴뒹굴 한 해를 노닥이며
하늘을 손짓하는 파밭 곁에는
누렁 메주콩들이
나란히 누워 탱자거린다

다정한 동산 위 정자에는, 그때처럼
단풍잎들이 풍악을 울리는데
꼬지지한 손 찔리며
알밤 까던 동무들 간데없고
슬픈 사연의 허름한 빈집에는
은행알들만 바글대며 나를 쑥덕인다

그 옛날, 그리 좋았던

_삶의 자연을 그리다

지금 내 서 있는
이 고향땅, 이 한가을은
왠지 나를 낯설게 하며
쭈글한 대추 같은 향수마저
영영 떠나라 등을 떠민다

가을밤

쓸쓸한 밤
풀벌레 우는 밤

그리운 날
허수아비 아픈 날

님 가신 때
내 기뻐 웃던 때

달은 빗속에
허우적허우적
억새풀 쉰 목소리
꺼-억 꺼-억

눈 귀 먼 내겐
밤낮 새까만 밤

_삶의 자연을 그리다

까마중

까뭇까뭇 반질반질
까무잡잡 반짝반짝
나 너 좋아해
한 알 한 알
입안에서
톡, 터지는 너란

마음을 나눈다는 것은

♥÷1, ♥÷2, ♥÷4, ♥÷8
심장은 하나
함부로 나눌 수 없지요

그대는 어떤가요
그대와 나는 1
그대와 나와 당신은 2분의 1
그대, 나, 당신, 여보는 4분의 1

16개, 32개, 64개
너무 많이 베풀면 나는 어찌 사나요
또 배려하는 그대는 어찌할까요

그래서 저는 다짐한답니다
내 마음을 모든 이에게 주더라도
그대 닮은 앵두 크기
당신 좋아하는 대추처럼
적어도 그것만은 남길 거예요

_삶의 자연을 그리다

제 맘 다 주고 말면
전 너무 아프고 저리니까요
이 봄날 맘이 얼면 안 되니까요
그러면 그대는 저 몰래
밤새 울 테니까요

개천에 핀 나리꽃

멀리에 널 보면 그냥 슬퍼져
가까이 들여다볼수록 눈물이 나
안 보아도 이 가슴 너무나 아파

꿈 2

작아야 꿈이란다, 움츠러들어야 꿈이란다
우리는 한 줌 심장만으로도 대자연을 너끈히 담아 품잖니
이미 바닷물이 된 빗방울은 어디에도 갈 곳이 없잖니
그 큰 등치의 타조는 그 알이 몸에 비해 왜 그리 작겠니
이미 부푼 풍선에 한 모금 바람 넣기가 왜 그리 힘들겠니

꿀 수 있는 꿈이 보이는 꿈이란다, 만질 수 있는 꿈이란다
애벌레는 푸른 잎만으로도 환희에 차, 있는 것 몸짓하잖니
아기 고양이가 백 마리 쥐를 한 번에 잡아먹을 순 없잖니
이 세상 꽃들이 저마다 딱 맞는 크기의 몽우리를 왜 맺겠니
의기양양한 쇠똥구리라도 주먹만 한 쇠똥을 어찌 굴리겠니

너 그리고 나 16

파란 꿈이 얼어붙은 호숫가 갈대 길을
누가 보아도 다정하게 지금 거니는 너와 나
한때는 진실을 피해
서로가 그리움을 미움으로 삭히며
너는 여기서 사무치는 외로움을 찬바람에 날려야 했고
나는 저기 나목 뒤에 숨어 그런 널 바라보며
시린 가슴을 어루만져야만 했었다

한 쌍의 연인들이
옷깃 깊이 여미고 나란히 끌어안은 채
그때처럼 익숙한 향내와 토라진 말투를 흘리며
우리 곁을 스친다
그럴 때면 너는 발걸음 멈춰서 고개 떨구며 한참을 침묵하고
나는 그러한 너를 등 뒤에서 꼭 쓸어안고는
때마침 몰아치는 매서운 칼바람을
네게서 뿌리쳐 버린다

그럴 때면, 너는

_ 삶의 자연을 그리다

뒤돌아서며 뜨거운 눈물로 내 가슴 차갑게 적시고
입김 하얗게 서는 가쁜 호흡으로 하냥 울먹인다
때마침, 짝 잃은 외기러기 하늘을 가르며 슬피 울고
철없는 갈대는 우리 옆에서 기뻐 손짓하며 온몸을 흔든다
그럴 때면, 나는
"저 기러기는 혼자 날아야 할 비운의 주인공"이라며
애써 네게 태연하고 체념의 눈물을 삼켜 버린다

찬바람은 너와 나의 귓전에 그때처럼 여전히 날카롭고
비껴가는 연인들의 속삭임은
퇴색한 의미로 우리 주위에 나뒹구는데
너는 미련 남은 내 가슴에 얼굴 비비며 아직도 울먹인다
그럴 때면 나는 널 더 힘껏 끌어안은 채
고드름 져야 할 눈물조차
끝내 다시 마셔 버린다
그 외기러기 비명 소리는
초라한 갈색 산 능선 너머로 이미 사라져 가는데…

오뚝이

누워 자며 꿈꾸고 싶어라
눈물을 보이랴
엎드려 빌고도 싶어라
한 뜻마저 굽히랴
망측한 내 인생 내 팔자
좋건 싫건 끄덕끄덕
울든 웃든 멀뚱멀뚱
너나 나나 기우뚱 기우뚱

_ 삶의 자연을 그리다

꼭 찍고 싶은 사진

의미 있기를 고대하며
흘려버린 세월을 배경 삼아
방황하던 그대와 내 영혼을

사철 푸른 언덕에서
기쁨일랑 슬픔과 짝하여
그대 오른손 잡고
만남일랑 이별과 짝하여
내 왼손을 잡고
두 마음 눈물 젖은 손잡고
모두 다 함께 나란히

무심無心

민달팽이 한 마리
갈배추밭서 쫓겨 도망친다
날 선 모래 하얀 배에 박히고
가시덩굴에 더듬이 부러진다
이젠, 한껏 몸을 움츠리곤
몸을 비틀며 큰 걸음 딛는다
드디어 아스팔트길!
짙푸른 하늘이 너무 좋아!
바로 저 너머 내 태어난 고향인데
뱃가죽 찢겨 아프도록 기어간다
갑자기 땅이 흔들린다
뾰족한 턱 곧추들곤 돌아보며
남은 더듬이 사방 휘젓는다

찰나!
무겁게 숨이 막혀
눈앞이 깜깜해
찍소리 못해
그리고…

_삶의 자연을 그리다

외로움이란

외로움이란
내가
홀로 어디에 있을지라도
아무도 없이 혼자 있을
너라는 내 사람을 그리는 것

또, 그런 외로움이란
네가
혼자가 아닐 때라도
언제나 홀로 있을
나라는 네 사람을 그리는 것

그래서 우리에겐
외로움이란
시도 때도 없고 천방지축으로
욕심까지 내며
서로를 그리워하는 것

윷놀이

돼지 돼지 업고 가다 꿀꿀꿀
발딱 젖혀진 몸둥, 윷!
다음 빽도!
걸한테 네게 잡히지
개, 개, 개, 개만 나네
개판인지 살판인지
잡히는 꿈일까
쫓는 사랑일까
낙방 인생일까

_ 삶의 자연을 그리다

산사 山寺

법당 안 목탁 소리 산자락에 여운지고
비구니 독경 소리 속세 진 암자를 울린다
처마 끝 풍경 소리 돌탑을 감싸 안으니
나그네 신음 소리 산사를 휘 비켜 간다

어느 무명 조각가의 두상

알량한 몸뚱이 오간 데 없이
구걸하는 골 빈 반쪽 두상
그마저, 깨지고 금이 가고
진실을 향해 빠져버린 한쪽 눈
번민에 감기운 다른 한쪽 눈
말 못할 사연에 창백한 입술과
고독, 주름에 덥수룩한 수염

왠지 가엽기만 한 저 영혼!

명분 없이 조각된 인생!

아! 낯익어야 할 그 모습인데

_ 삶의 자연을 그리다

상처傷處 치료기治療記

사랑의 가시에 그대 가슴 '콕' 찔렸나요
햇빛만 엮어 피는 나팔꽃을 따
하늘을 보고 '질끈' 뿌려 버리십시오
또, 하늘을 향해 피는 나팔꽃들은
땅을 파고 아예 '푹' 묻어 버리십시오

이별의 칼끝에 내 맘 '싹둑' 베였다면요
꿈만 먹고 난 후 지는 산나리꽃을
밤을 지새우며 '뚫어져라' 지켜볼래요
또, 밤을 지새다 지는 산나리꽃에는
꿈을 접고 '진짜' 눈길도 안 줄래요

인연의 쇠사슬에 우리 몸 '꽁꽁' 묶였나요
달만 보다 떨어진 달맞이꽃을
별을 헤며, '콱콱' 밟아 보자구요
또, 별을 헤다 떨어진 달맞이꽃은
달을 보며 '아예' 발도 대지 말자구요

인연 1

내게
너와의 인연이란

술과 안주
꽃과 나비같이

그리고
바늘과 실
하늘과 땅처럼

너와 나는
죽어서도 떨어질 수 없고

우리에게 그것은
한낱 이방인의 언어일 뿐이며
사전에도 없는 단어인 것

_삶의 자연을 그리다

어떤 참새 한 마리가 어느 허수아비한테 물었다

"추수도 다 끝난 허허벌판에 뭐 하러 서 있나요?"
"기댈 곳 없어 헤매다 찬 서리에 네 머리털이 빠진 거니?"

"왜 헐렁헐렁하고 헤진 옷을 입고 있나요? 나이가 몇인가요?"
"네 친구들이 모두 떠난 거니? 아님 짝을 잃었니?"

"어떻게 등 뒤의 새를 쫓나요? 뒤도 돌아보지 못하면서."
"오른쪽 날개 깃털도 많이 빠졌네. 그건 또 왜 그런 거니?"

"그런데 다리는 어째서 하나밖에 없나요?"
"조금 있으면 눈이 올 텐데 먹을 게 없어 어떡하니?"

"언제까지 이 자리에 계속 서만 있을 건가요? 다리는 안 저린가요?"
"너는 봄이 오면 새로운 털이 나오겠지? 정말 그러니?"

"한겨울 밤엔 춥고 외로울 텐데 어떡해요?"

"이제야 네가 생각난다. 언젠가 찾아와 날 놀려 댔던 애로 구나. 맞지?"

"한쪽 눈은 왜 없나요? 나머지 눈 시력은 좋은가요?"
"한철 풍요로웠음에 감사하지. 너도 한때는 좋았지?"

"어? 울고 있는 거 같은데 눈물은 어떻게 닦아요? 팔도 안 구부러지면서요. 눈물은 나요?"
"어? 이제 보니 너도 한쪽 눈이 없는데 어찌 된 일이니?"

"그래도 모자는 브랜드 있는 멋진 거네요. 구멍은 좀 뚫렸 지만요."
"비가 오네, 비가 오네. 너는 좋겠다, 날 수 있어서."

"우리 같이 지낼래요? 함께 영원히."
"그래도 내일이면 해가 뜰 거야. 그걸 보는 게 너무 좋아. 너는?"

_삶의 자연을 그리다

"앗, 사람이 와요!, 저기"

…

…

…

"아이 어지러워~ 참새야, 넌 안 어지럽니?
어디에 있는 거니?"
"… ."
"불빛이 빙글빙글 도는구나, 참새야, 참새야…, 참새
야… ."

폐가 弊家

더 울 힘없어 무너진 지붕
무거운 슬픔에 내려앉은 천장
뜰을 뒹굴며 기다리는 인형
멋들어졌을 아낙네 뾰족구두
먼지 쓴 바가지, 국자, 사발…
온갖 정들 뚝 떼어 버렸다

그 소녀 아빠 정신줄 놓은 날
그 장애소년 엄마 집 나가던 날
그 집안 풍비박산 나던 날
하늘도 서러워 소리쳐 울던 날
폭포처럼 쏟아진 눈물
그날은 차마 못 버렸으리라

_삶의 자연을 그리다

파업 중인 쓰레기통

아무리 쓰레기라도
쓰레기다워야 한다며
똥은 똥이요 돈은 돈이란다

통이 쓰레기가 될지언정
나 같은 인간쓰레기
절대 못 받는다
씩씩대며 엎어져 있다

모정 母情

당신께서 떠나신 아름다운 이 자리
칭얼이던 그때는 어제 같은데
아버님의 당신 향한 사랑
오늘도 파란 하늘 봄빛에 쏟아집니다

돌나물이며, 부추, 원추리
그리고 활짝 필 당신 추억은 뒤란에 여전합니다
당신 사랑은 생명이었고
한여름 꿈꾸는 아기의 젖줄이었습니다

당신 몸의 반이신, 그 당신께선 오늘도 이렇게 당신을 그리시며
시골집 뒷문을 오르십니다
자식을 위해 몸소 당신의 꿈을, 청춘을, 온몸을
그리고 일생을 다하신 당신

봄꽃은 노래하고, 벌과 나비는 춤추고
저희는 우렁이 새끼처럼 한유로운데

_삶의 자연을 그리다

진정 행복하셨기를 빌었고
그리고 자손들 모두가 사랑했던 당신

보고 싶은 당신
그렇게 아프셔도, '나는 괜찮다'
'너희들 행복이 나의 행복이란다'
그 목소리, 당신의 향내
지금 여기 시골집에 가득합니다

개나리꽃

그대, 개나리 노오란 꽃밭에 오려거든
그대 좋아하는 순백의 블라우스는 입지 마오
흩날리는 꽃잎에 그리움 짙게 물들면
그대 슬픔 지울 수 없을 테니까요

그대, 개나리 노오란 꽃길을 거닐려면
그대 싫어하는 흑장미는 머리에 꽂지 마오
그대 가슴에 노랑 장미 웃음 짓는 순간
그대 영영 나를 잊는 날이 될 테니까요

그대, 개나리 노랗게 땅에 깔리거들랑
그대, 다시 이곳에 오지 마오
푸른 잎이 지고 눈 녹으면
그대가 좋아하든 싫어하든
내 지난 모든 기쁨이랑 슬픔에
노랗게 변한 그대 마음을
그대는 또다시 보게 될 테니까요

노력이란 것은

하면 할수록 자신을 목표를 향한 깊고 깊은 욕망의 늪으로 끌고 들어갈 수도 있다

너무 과하게 되면 종국에는 정신적이든, 육체적이든, 물질적이든 피해를 입게 될 수 있다

그렇다고 노력을 하지 않는다 해서 또 원하는 것이 저절로 이루어지진 않을 것이다

또 어떤 때는 우리가 뭐든 할 수 있을 것이란 막연한 희망을 갖게 만들 수도 있다

그리고 당연히 거기에 따른 내가 한 만큼의 과실이 있을 거라 믿기도 한다

그러면서 그것은 우리의 삶을 일개미처럼 열심히 무엇인가를 하게만 하기도 한다

때로는 노력이란 것은 이와 같음을 다 알면서도

우리는 또 노력을 하며 또 그에 따른 행동을 반복할 수도 있다

된내기*

드디어 올 것이 왔다
그것도 아주 된통 아프게
어차피 그럴 거라지만
아직도, 들풀이 저리 파란데
청초한 살결에 차건 분칠은 왜…
기다림이란 그런 것이라고
아니, 필연으로 그렇다는 것을
누구나 다 알고 있는데…
짙은 단풍빛 아침 햇살이
이리 미울 수가
지금 아무도 없을 우리 이불 속은
여전히 따듯할 텐데…

* 된내기: '된서리'의 방언

_삶의 자연을 그리다

바람

그대는 바람!
향내 나는 바람!
미소 짓는 바람!
사철 부는 바람!

잡을 수 없고
잡히지도 않으며
볼 수도 없고
보여서도 안 되는
바람, 바람, 바람!

의문사 疑問死

불타 재가 될 꿈이여 사랑이여
임자 없는 네 검은 주검에
백합의 꿈 설레게 피랴
구천에 떠돌 네 상한 영혼에
장밋빛 그리움 섦게 물들랴
거기서, 낯선 자들의 비웃음에
네가 다시 깨어 생동하랴

내가 가을 아침을 좋아하는 이유

따듯한 이불 속이 아쉬운 가을 아침
아파트 창문으로 쏟아지는 눈부신 햇살은
이유 없이 내 맘을 설레게 합니다

가끔은 그대와 아침 개울가를 산책하며
여생의 하얀 종이배를 띄울 때는
서로 기댈 또 다른 언덕을 선사합니다

싱그런 가로수 잎들이 땅 위의 영광을 찬양할 때
시들했던 내 심신은
해맑은 호흡으로 한없이 신선해져 생동합니다

출근길 차창가, 누렇게 익어가는 들판
화사히 부서지는 아침 햇살은
내게 결실의 하루를 충분히 기대케 합니다

어느 손길 따뜻한 한 잔의 커피는
자칫 무의미로 시작될지 모를 하루 일과의 이 순간에
알찬 활력을 불어넣어 줍니다

때에 대하여

때는 보면 볼수록 밀면 밀수록 씻으면 씻을수록 나온다
안 닦는다 하여 저절로 없어지지도 않는다
수많은 종류의 때가 좋게 보이는 겉껍데기 밑에 있다
그것은 살아 있든 죽어 있든 사람이면 가지고 있고 남아 있다
또, 어떤 것은 눈으로 보이지도 않고 손으로 만져지지도
않는다
또, 정작 때인 것을 때가 아니라고 때 아닌 것을 때라 착각
한다
혹자는 때가 없다거나 다른 사람이 때가 더 많다 여긴다
혹은, 때를 안 닦아도 마음만은 깨끗하다 오판한다
그러면서 때를 닦았으니 마음도 깨끗하다 또 오판한다
그리고 밀어낸 때가 순수 자연을 어떻게 더럽히는지 모른다
철없는 어린아이와 철 나간 노인에게는 때는 여간해서 끼
지 않는다
그렇다고, 때에 대해 너무 고민하지는 말자
그렇다고, 일부러 묻히거나 닦지 않으려 애쓰진 말자
사람 사는 세상에 때 묻지 않고 어찌 살 것이며
적어도, 사람이 곧 때는 아닐 테니

_삶의 자연을 그리다

괸 돌

내게도 너처럼
그 성실하고 야무진 쓸모
그게 있으면 좋겠다

그루터기를 태우며

한숨 진 세월
남김없이 불태운다
꿈꾸던 청춘
남은 불씨도 곧 죽겠다
다 가야 할 길에
다 연기로, 재로
하늘도 날 보고 울겠다

_ 삶의 자연을 그리다

꽃잔치 4

꽃잔치 하얀 배밭에서
바람둥이 벌이 되어
이 꽃 저 꽃 찝쩍댔다

꽃바람에 '훅' 날려 떨어져
꽃무덤에 '폭' 파묻혔다

꽃잔치 연분홍 복숭아밭에서
술 취한 나비 되어
여기저기 입맞춤했다

꽃향기에 정신줄 '턱' 놓쳐서는
날 찾은 님한테 '들입다' 혼났다

자작나무 숲에서 생긴 일

몸과 마음
그리고
뒤죽박죽 꿈들도
하얗게 질려 뻗어 버린다

아무것도 할 수 없다
얼떨결에 들어선
이 숲에서

우습게도
내 별난 머리꼭지만
까맣게 남았다

꽃봉오리

나 혼자 있을 때만 피어
내게만 속내 보여야
나는 너를 꽃이라 부르리니

나 죽거들랑 너 그냥 지고
꽃봉오리 다시 안 서야
진정 서로 사랑했다 하리니

가을에 숨바꼭질

갈색 다람쥐
쳇바퀴 뱅글뱅글
바람개비 뒤
오색 바람 바람 바람

사랑아 미움아 이별아
파아란 심중에 돌고 돌다
시월 밤 별빛처럼 흩어져
슬픈 낙엽 속에 꼭꼭 숨어라

갈지자 인생 나목에 걸려
오늘도 술래
얄궂은 찬비까지 맞으며
그것도
하냥 말뚝 술래

_삶의 자연을 그리다

강아지풀 1

살랑살랑 꼬리를 치네
뽀송뽀송 부드러워
깨알 같은 사랑과 정
알알이, 알알이
바글바글, 바글바글

하늘에 달린 꼬랑지
날보고 절하네
이뻐 안아 보고도 픈데
시크한 그 까칠함에
나는 팽하니 토라지고 말아

담쟁이 1

세상 어디에나 의지할 곳 있어
진정 나는 행복하였노라

높고 험한 곳 함께 오를 수 있었으매
서로 사랑했다 하리라

다시 내려와선 안 될 운명이란 것에
나는 사유하노라

_삶의 자연을 그리다

짝사랑

할매, 할배 사랑
엄마, 나 사랑
아내, 남편 사랑
옆지기, 아들 사랑
딸내미, 아빠 사랑

까맣게 매달린 뽕
보랏빛 장미 꽃송이
머리 맞댄 고추잠자리
앓아누운 눈사람

어쩌면 기쁨같이
때론 눈물같이
혹, 미소처럼 올 거 같은
너 그리고 나 같은

무당거미 1

춤을 춘다
덩실덩실, 사뿐사뿐
날카로운 선율 위
아리따운 자태여
애달픈 생이여

사랑도, 정도, 이별도
이슬방울에 수놓는다
덩달아 춤춘다
뚝뚝뚝 눈물짓는다
애달픈 님이시여

_ 삶의 자연을 그리다

삶의 자연을 그리다 2

존재의 이유로, 사람은 누구나가
태어나는 순간부터 배우이고
커 가는 동안 작가이며 감독이다
고쳐 쓰지 못할 한 권의 일기장
일방통행의 그 인생길에
죽은 후에야, 관객 없는 무대에서
어설픈 연기와 집필을 마친다

너 그리고 나 S6

이리도 그립기만 하다면
나만의 네가 아닌 것을

그렇게 밉기만 했어도
너만의 내가 되었을 것을

시들며 날리는 아카시아꽃 이파리
나는 홀로 여기
하냥 주워 세고 있을 때

어디 너는 혼자
눈물 젖는 그 얼굴
우는 장미꽃에 마냥 묻고 있것다

_삶의 자연을 그리다

어떤 마음 1

못난이 인형아
며칠간 나 슬플 거야
맨날 웃을 수 없잖니

같이 울 테면 울어
단, 내가 안 볼 때만

안 그럼 버릴 거야, 버려 버릴 거야
언제 울음바다 때 참은 거 알지?
정말이얏!

욕심

나한테만 보이는
깊은 마음속 유리 없는 거울

_삶의 자연을 그리다

어떤 마음 2

♥♥♥, ★★★, ???

⌢, ⌢, ⌢

+−, −+, +−

!!!!!!!!!!

!!!!!!!!!!

ㅎㅎㅎㅎ, ㅋㅋㅋㅋ

●●●●, ○○○○

패랭이꽃

누구라도 얼빠지며 좋아라 할
화려한 자태의 목련처럼
한 그루 꽃나무로 피어 사느니
이름 모를 무덤 위 듬성한 잔디같이
아무렇게나 철떡 빌붙어 살아야 할
나는 그저 그런 사연의 꽃

나아닌 다른 꽃처녀들 잘 보이라
싫어도 덤으로 심겨 눈치로 피우고
지나는 황구조차 눈길 한번 아니 주는
봄볕 따가운 목마른 날에도
그냥 속절없이 시들며 참아야 하는
나는 그저 무명의 연보라 꽃

그렇게 지쳐 떨어진 꽃잎마저
변덕스런 봄바람에 이리 흩날려도
여윈 손가락을 한껏 깍지 서로 끼고는
마구 밟히는 저린 아픔을 참아 내며

_삶의 자연을 그리다

무던하게 삶을 지탱해야만 하는
나는 땅 위에 그냥 깔려 핀 꽃

부재중 알림

10년 동안
내 인생 공사 중
만만한 자 외
출입 금지

_삶의 자연을 그리다

배추꼬랑이

너처럼 추위에 울지도 않으며
너처럼 누구 관심 못 받고
너처럼 무소유로 살아도
너 같은 맛 우린 안 날까

오독이며 달콤한 네 속살을
말없이 구수한 네 향내를
온몸까지 그냥 다 주는
너 같은 그런 사람 우린 안 될까

어떤 철학

애들아
살아 보니
마음이 없으면
세상 모든 게
잘 보이지 않는단다

응~

아빠~

어설픔

춘삼월 봄은 여기인데
펑펑 내리는 눈이나
흰 눈 덮인 산이나
게서 꿈꾸는 너나 나나
다 어설퍼 보인다
다 철없어 보인다
뒷일 어이 감당할꼬

철哲

이 세상에서
제일 무거운 것
그래서
무슨 수를 쓰든 간에
인간이란 존재는
절대 들 수 없는 것
들었다가는 큰일 내는 것

_ 삶의 자연을 그리다

동천凍天 1

매서운 삭풍 새파란 하늘에
겹겹이 얼어붙은 삶의 유리 조각
세차게 가르며 날아가는 이방의 기러기 떼
한순간
차디찬 지난 꿈의 파편들이
파리한 내 얼굴 위로 억수같이 쏟아져 내린다
나목처럼 마주하는 내 육신에 서릿발같이 내리꽂힌다
명주실 같은 내 비명 소리 한데 엉켜
동천冬天 창공에 언 채 숨져 매달린다

뾰족한 수^手

도살장에 꽁꽁 묶여 멱따이며 울어대는 돼지처럼
눈보라 논바닥에 내팽개쳐져 덜덜 떠는 빨간 생쥐새끼같이
야채 쓰레기차에서 뜨건 아스팔트 위로 떨어진 민달팽이같이
그 무슨 뾰족한 수로 무리수를 또 두랴
기금 그냥 깡마른 내 알몸 그대로
그때의 나목마저 추워 숨죽이며 꽁꽁 언 그 언덕을
홀로 올라야지
뾰족했다던 그 수로
내 발등을, 손등을 찍어 열을 내며라도
그 언덕 너머 어둔 동토 속에 묻혀야지
한층 뾰족해진 수로 나를 못 박아야지

_ 삶의 자연을 그리다

수탉아

네 부리로
날 쪼아대지 마!
그 눈초리로
날 째려보지 마!

뭣도 없는 난
아무것도 아니야
쌈닭도 아니야!

벼슬 하나 없는
꼴랑 불알 두 쪽에
그저 그렇고 그런
수놈일 뿐이야!

자아성찰自我省察에 대하여

내가 나를 돌아본다는 것은
가재가 옆으로 걷고 게가 앞으로 걷는 것과 같다
그런 후, 내 스스로 나를 감동시키는 것은
배고픈 개와 고양이가 고기 한 근을 놓고
서로 양보하는 것과 같다
그런 후, 내가 그 감동으로 신실 되게 행하는 것은
개미가 진공청소기에 빨려들지 않으려 발버둥치는 것과
같다
그리고 그 행함을 타인이 본받아 움직이게 하는 것은
아메바가 진화하여 사람이 되는 것을 기다리는 것과 같다

_삶의 자연을 그리다

고드름

살결 고운 햇살 아래에서도
무엇에 그리 섫거들랑
거꾸로 줄줄이 매달린 몸으로
그나마 차디찬 눈물방울
뚝뚝 떨구지 못하리

하얀 동지섣달 외딴 초가집
홀로 몇 날 지새다 보면
그리움 한 눈물 끝이 없으리니
그때는, 언 이 땅 위에
너의 간절한 손끝이 맞닿으리라
너는 그때
바로 선 큰 의미이리라

곁가지

내 목숨 끝까지 버티며 의미를 찾자
지는 별빛에라도 꿈을 키우자
타는 가뭄에 이슬에라도 목을 축이자
이름 석 자 달랑 지어진 순간
누구나 피해 갈 수 없는 더부살이
외로움 비바람에 내 흔들려도
비웃음에, 내게 내가 절망할 때도
이별의 아픔에 내 몸의 반이 찢겨져도
문득, 베어져 아픈 옹이가 될지라도

_삶의 자연을 그리다

고목

내게는 아무것도 남은 것이 없다
베어지는 아픔과
꽃을 피워야 할 애타는 마음
도둑맞을 더 이상의 열매도
세인의 무관심에 대한 시기마저도

그렇다고 애써 포장하지도 않으련다
슬퍼하거나 허무해야만 하는
보잘것없는 나무였다고
혹여 잘나고 달콤한 삶이었다고도

그러나 나는 침묵으로 절규한다
내 모든 것 다 바친 이 세상을
밤낮으로 하늘을 우러러 관조하며
남은 뿌리조각 하나가 진토 되어도
이곳에 나는 살아남아 있는 것이라고

기다림 1

섣달그믐 밤
외기러기 소리 짙어지면
기쁜 마음으로 별을 헤야지

시린 두 손
언 별빛에 비벼대며
뜨겁던 눈물도 흘려야지

그 느티나무 아래에서
언 발 동동 구르며
모닥불도 지새 피워야지

_삶의 자연을 그리다

길 1

꿈 있는 생물이나
꿈 없는 혼백이나

오든, 가든
살든, 죽든

기쁨 아니면 슬픔
아니면, 침묵으로

없으면 없는 대로
있으면 있는 대로

언제나 있다
그곳에 있다

너 그리고 나 S9

가을꽃
그 앞에 서면

누구나가
할 말이 많겠지

누구라도
그리움은 숨기겠지

한 잎, 두 잎…

한 알, 두 알…

그렇지만, 슬픔은
이제 곧 지겠지

그렇지만, 상흔은
또 다른 씨로 남겠지

_삶의 자연을 그리다

까치집 1

파란 건공중에
휭하니 걸리고

햇빛, 달빛, 별빛, 구름
새들과 울음소리
온갖 종류의 인연도
모두 비껴가고

눈 한 송이
빗물 한 방울마저
다 빠져 버리고

꺼벙한 나는
홀로이고

욕망慾望에 관하여

욕망慾望은 욕구慾求에서 나오고 욕심慾心은 욕망에서 잉태된다
탐욕은 욕심의 죄의 씨앗이며 파멸은 탐욕貪慾의 조상이다
밑 빠진 독에 물을 붓는 것은 욕구이다

밑 빠진 독을 필요 없다 깨는 것은 욕망이다
밑 빠진 독을 조경에 사용하려는 것은 욕심이다
성한 독까지 조경에 사용하는 것이야말로 탐욕이다

_삶의 자연을 그리다

마네킹

미소 삼킨 입술은
쏟아지는 햇살에 그럴싸하고
창백한 얼굴은
이유 없이 바삐 오가는 행인들의
조롱만을 사서 끈다

나도 그러는 사이
함께
고독한 나그네 된다

괜스레 미안한 마음에
한 움큼 아픈 눈총만을 주고는
그대로 돌아서고 만다

뻔뻔스런 녀석

"눈은 졸리운데 머리는 말똥말똥해요"
그녀는 속삭인다
뒤척이는 소리까지, 언제나 그 녀석에겐 자장가
"밤이 싫어요" 부스럭 부스럭
그녀의 가슴앓이 시작되고
그 녀석 잠 설칠까 그녀는 밤새 홀로 친구 한다

그 녀석이 아주 잘 아는 그녀
그녀는 천생 여자다
맑고 파아란 하늘에서 내려왔다는
늘 따뜻한 아침 누룽지
그 녀석은 가슴이 아파 온다
그래도, 그 녀석 고작 할 수 있는 건
"미안해…" 딸랑, 항상 그 말뿐!

여직 거실 등은 꼬박꼬박
그 녀석은 밤새워 뻔뻔해
한평생, 눈치코치 없이 살 녀석!

_삶의 자연을 그리다

코 박고 죽을 접시 물이 아까운 녀석!
벼룩에게도 욕먹을 뻔뻔한 녀석!

너 그리고 나 S7

백합꽃 그리려다
너를 그리고
가을 노래 부르려다
너를 부른다

너 같은 모과 향
파란 하늘에 피어나고
코스모스 깔깔댈 때
네 목소리 쏟아진다

_삶의 자연을 그리다

천수답 天水畓

뙤약볕 아래 한 술 침도 다 마르고
등골마저 갈라져 이리 아픈 내게
제발 오지 말아다오
난데없는 홍수에 물밀듯이
내 애간장보다 긴 장맛비같이
그리고 님처럼
왔다가 금방 갈 소나기처럼

아니, 아사리*
사무침에 감당 못할 그런 사랑이라면
애당초 주지를 말고
딱 한 포기의 이 마음만으로라도
그날까지 하냥 있고프니
영영 오지도 말고 날 내버려다오

* 아사리: '모름지기'의 방언

그대에게 가을은 무엇입니까

아침햇살 벼이삭에 영롱한 이슬방울
반짝이는 그리움이거나
지지 않고 기다리는 하얀 도라지꽃
그 외로움입니까

찌르레기 우는 저녁 동산 너머
숨 가쁜 황혼을 닮은 사랑, 아니면
보름달 밤 갈대 사이로 토라진 별빛
그런 미움입니까

찬바람에 나뒹구는 장미꽃 이파리는 내겐 크나큰 슬픔이고
함께 거닐던 들길, 한 떨기 들국화는 하지만, 또 다른 기쁨
입니다

코스모스 활짝 웃는 날의 찬비는
내겐 너무나 아픈 이별이지만
열렬하게 쏟아지는 낙엽은
먼 훗날 향기로운 인연일 것입니다

_ 삶의 자연을 그리다

이도 저도 아니라면
이 한가을은
그대에게
진정 무엇입니까

비 맞는 꽃 2

꽃잎에 맺힌 슬픔보다
반짝이는 아침 이슬로 여기고
비 젖어 마음 아파하기보다
햇살 속 환한 미소를 그려야지

끝없이 흐르는 눈물이란 없듯
이 비 그치면 다시 시새울 모습에
두렵고 설레는 꽃잔치 기다려야지

안 아프고 피는 꽃 없듯
슬픔도 비 맞고 떠날 수 있음에
떨어진 꽃들에 기뻐도 해야지

_ 삶의 자연을 그리다

부부 5

부부란
혼자일 때나 같이 있을 때나
숨소리까지 죽여 가며
혹은 큰 소리로

어느 때는 웃거나 울고
어떤 때는 울다가도 웃으며
또, 때로는 무시로
웃으면서도 울어야만 하는

그러면서
아주 먼 후일
모과 향 짙은 그 화음으로
"그래도 행복하였노라" 하며
순한 기쁨을 지저귀는

소박한
참새 암수 한 쌍

부부 6

마대 자루 하나 같이 입고
이승에서 저승까지
뒤뚱거리며라도 가야 하는
벌거숭이 아담과 이브

_삶의 자연을 그리다

삶의 자연을 그리다

초판 1쇄 인쇄일 2017년 9월 14일
초판 1쇄 발행일 2017년 9월 22일

지은이 임전택
펴낸이 양옥매
디자인 임흥순
교 정 조준경

펴낸곳 도서출판 책과나무
출판등록 제2012-000376
주소 서울특별시 마포구 방울내로 79 이노빌딩 302호
대표전화 02.372.1537 **팩스** 02.372.1538
이메일 booknamu2007@naver.com
홈페이지 www.booknamu.com
ISBN 979-11-5776-473-0 (03800)

이 도서의 국립중앙도서관 출판시도서목록(CIP)은 서지정보유통지원 시스템
홈페이지(http://seoji.nl.go.kr)와 국가자료공동목록시스템
(http://www.nl.go.kr/kolisnet)에서 이용하실 수 있습니다.
(CIP제어번호 : CIP2017024025)